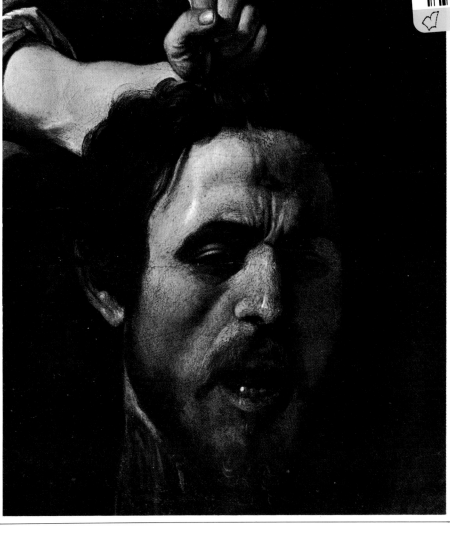

Autoportrait présumé - Détail de David et Goliath - *Huile sur toile, 90 x 116 cm -* Vienne, Kunsthistorisches Museum.

LE CARAVAGE

"Bien qu'elle respecte beaucoup la réalité, sa peinture n'est pas naturelle, ni faite ni pensée dans un autre siècle."

Giulio Mancini, 1619

C'est grâce aux recherches de Mia Cinotti et de Gian Alberto Dell'Acqua (1983) qu'après tant de conjectures, on peut finalement y voir clair sur des faits capitaux de la vie et de l'art de Michelangelo Merisi de Caravaggio, dit le Caravage.

A commencer par la date et le lieu de sa naissance: les documents révèlent finalement qu'il est né en 1571 (et non 1573) à Milan. Cet écart n'est pas indifférent, non pas pour la datation de ses œuvres, mais pour restituer la vérité de sa biographie. Le Caravage était considéré jusqu'à présent comme un artiste extrêmement préco-

ce. Une précocité d'ailleurs difficilement explicable vu la qualité et le savoir que ces peintures révèlent.

Michelangelo naît donc à Milan, le 29 septembre 1571, le jour de la fête de l'archange saint Michel. Il est baptisé dans la paroisse de Santa Maria della Passerella, au cœur de la vieille ville. Son père, Fermo, est "magister" de la maison du marquis François Sforza de Caravaggio; sa mère, Lucia Aratori, est la seconde épouse de Fermo. La famille n'est pas pauvre et encore moins illettrée. Fermo Merisi est le surintendant et l'architecte de la maison du marquis qui com-

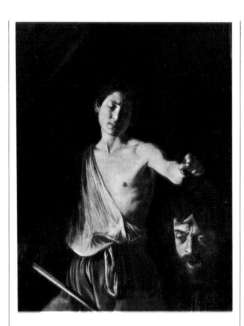

David et Goliath - *Huile sur toile, 125 x 100 cm - Rome, Galerie Borghese. Le visage douloureux de Goliath est très probablement un autoportrait du Caravage.*

prend le palais de Caravaggio.

En 1577, la peste sévit à Milan et la famille Merisi se transfère à Caravaggio où elle possède des terrains et une maison, mais le père meurt et la mère reste seule avec trois enfants à l'âge de 27 ans. Son beau-frère, prélat de ce gros bourg, lui vient alors en aide.

En 1584, Michelangelo, qui a treize ans et non onze, comme on l'a cru longtemps, entre dans l'atelier milanais du peintre Simone Peterzano, un artiste qui était assez renommé à l'époque et tout à fait capable de lui enseigner les fondements de l'art. Son contrat d'apprentissage nous apprend qu'il s'engageait à entrer pour quatre ans au service du maître en échange de l'enseignement, du gîte et du couvert.

En 1588, à la fin du contrat, le jeune homme retourne à Caravaggio; on suppose qu'il continue de peindre, mais il ne reste rien de ces années.

Sa mère meurt en 1590 et il commence à penser à Rome qui est alors le centre par excellence de l'art et de la culture, un énorme chantier où peintres, sculpteurs et architectes peuvent exercer leur talent, après la crise morale, économique et politique des décennies précédentes.

L'héritage familial est divisé en 1592, après quoi Michelangelo part immédiatement pour Rome. De cette année 92 jusqu'en 1599 – date du contrat de commande des tableaux destinés à Saint-Louis-des-Français – il n'existe aucun document sur sa vie et son activité auquel on puisse totalement se fier. Giovanni Baglione, son biographe malveillant, nous dit qu'il va travailler chez un certain Lorenzo Siciliano où il doit produire "trois têtes par jour pour un grosso l'une", puis chez Antiveduto della Grammatica, lui aussi spécialisé dans la peinture des "têtes". Il loge chez monseigneur Pandolfo Pucci, puis chez monseigneur Fantin Petrignani avant d'entrer en 1593 dans l'atelier d'un peintre maniériste de renom, le Cavalier d'Arpin.

Nous ignorons ce qu'il a peint chez le Cavalier d'Arpin; nous savons par contre qu'il tomba malade et dut aller se faire soigner à l'Hôpital de la Consolation: le *Jeune Bacchus malade* est probablement un autoportrait datant de cette période de fièvre et de mélancolie.

En 1595, il fait un saut qualitatif: il est accueilli par le puissant cardinal François Marie Bourbon Del Monte, ambassadeur du grand-duc de Toscane et partisan d'un rapprochement entre la France et la papauté. La protection du cardinal est sans doute le fruit d'une recommandation de Frédéric Borromée, parent de Constance Colonna, héritière du marquis de Caravaggio, ou de la famille Colonna de Rome, ce qui expliquerait la grande estime et l'affection portées par Del Monte à un jeune artiste pratiquement inconnu. Dans la maison du cardinal, "ayant pain et provisions... il prit du courage et du crédit" et commença une série de chefs-d'œuvre pour son mécène et les nobles et les prélats amateurs d'art de son entourage: du *Garçon à la corbeille de fruits* au *Bacchus* au *Saint Jean-Baptiste* de la Galerie Spada, de la *Madeleine repentie* à *La corbeille de fruits* de la Pinacothèque Ambrosienne.

Sa réputation grandit et lui vaut une commande prestigieuse: la décoration de la chapelle Contarelli de Saint-Louis-des-Français, pour laquelle le Caravage illustre dans de grandes toiles la *Vocation de saint*

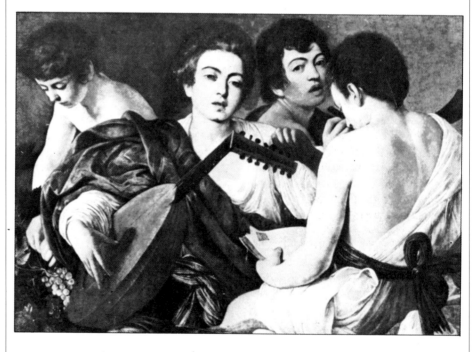

Les Musiciens - *1591/92 - Huile sur toile, 92 x 118 cm - New York, Metropolitan Museum of Art. Le jeune joueur de luth représente un autoportrait idéalisé de l'artiste.*

Tête de Méduse - 1596/98 - Huile sur toile, 60 x 55 cm - Florence, Galerie des Offices. On reconnaît ici un autre portrait idéalisé du Caravage.

Matthieu, le *Martyre de saint Matthieu* et *Saint Matthieu et l'Ange*. Les tableaux sont terminés en 1600 et suscitent autant d'admiration que de stupéfaction. Ils représentent la nouvelle manière du Caravage, le manifeste de son "luminisme" révolutionnaire. Pourtant le succès n'est pas entier: le Caravage dérange et son *Saint Matthieu et l'Ange* est refusé (le tableau fut détruit lors du bombardement de Berlin et on ne peut plus le voir aujourd'hui qu'en photographie). Il est obligé d'en faire une seconde version plus conforme aux principes du "decorum" et de la convenance visuelle. Cela ne l'empêchera pas d'avoir une nouvelle commande officielle pour la décoration de la chapelle Cerasi de Santa Maria del Popolo: la *Conversion de saint Paul* et la *Crucifixion de saint Pierre*.

La *Conversion* est elle aussi refusée et le Caravage en fait une seconde version (la première se trouve dans la collection Odescalchi). Par contre la *Mise au tombeau* pour l'église de Santa Maria della Vallicella (aujourd'hui à la Pinacothèque du Vatican) est applaudie sans réserve.

C'est alors que commence la série de violences, de comportements étranges et de procès qui détermineront le destin de l'artiste et sa lé-

gende de peintre maudit.

Voici les faits: le 28 août 1603, le peintre Giovanni Baglione le cite en justice avec certains de ses amis pour l'avoir diffamé avec des poésies obscènes; le 24 avril 1604, le serveur d'une auberge l'accuse de lui avoir jeté au visage un plat d'artichauts; en octobre et en novembre de la même année, il va deux fois en prison pour injures à deux sbires; le 28 mai 1605, il est arrêté pour port d'arme non autorisé; le 29 juillet 1605, il agresse et blesse le notaire Mariano Pasqualone; en septembre 1605, Prudenza Bruna porte plainte contre lui pour avoir jeté des pierres contre sa fenêtre; le 24 octobre 1605, il va à l'hôpital après avoir été blessé à l'épée; le 28 mai 1606, après un pari au jeu de paume, il se bagarre et tue Ranuccio Tomassoni de Terni. C'est la catastrophe: à partir de ce moment, il devient un homme en fuite, et un artiste tourmenté et sans renom.

Pour échapper à la peine capitale à laquelle il est condamné, il se réfugie sur les terres des Colonna à Zagarolo et Paliano, puis à Naples. La ville est sous la domination des Espagnols; c'est une capitale où l'art et la culture fleurissent: le Caravage y trouve tout de suite du travail car on ignore tout de ses mésaventures judiciaires. Il peint des chefs-d'œuvre comme la *Madone du Rosaire* et les *Sept œuvres de Miséricorde*, mais son âme troublée l'incite à voir des ennemis et des hommes de main dans tous les recoins. Après une énième rixe, il s'enfuit à Malte, chez les Chevaliers de l'Ordre: il y reste de 1607 à 1608 et fait preuve d'un zèle religieux qui lui vaut d'être accueilli au sein de l'Ordre.

C'est à Malte qu'il peint l'un de ses plus grands chefs-d'œuvre, *La décollation de saint Jean-Baptiste*: il appose sa signature dans le sang qui jaillit du tronc du martyr, comme s'il voulait conjurer la fin sanglante qui le menace. Les Chevaliers de Malte finissent par découvrir son secret et le chassent; il fuit alors en Sicile, à Syracuse, Messine et Palerme. Il y laisse à chaque fois des œuvres qui sont des confessions douloureuses de son état d'âme et de la peur qui l'habite; il n'est pas étonnant que son comportement

devienne de plus en plus bizarre: les chroniqueurs locaux disent de lui qu'il est "fou et imbécile" ou bien qu'il a "un cerveau bouleversé".

En 1609, il est de nouveau à Naples où il attend avec espoir que sa demande de grâce, appuyée par ses protecteurs romains, Del Monte, Colonna et le cardinal Scipion Borghese, soit acceptée par le tribunal papal. De Naples, il envoie au cardinal Borghese un *David et Goliath*: la tête coupée du géant représente son propre portrait, avec le signe de la blessure sur le front que des agresseurs inconnus viennent récemment de lui faire: un testament en image, en quelque sorte.

Et la grâce arrive. Michelangelo s'embarque pour retourner à Rome. Nous sommes en juillet 1610. Mais un nouveau caprice du destin – le dernier – l'attend: on l'oblige à débarquer à Porto Ercole pour des vérifications, et le bateau repart sans l'attendre. Il erre sur la plage déserte jusqu'à ce qu'il ne meure "de faim et de manque de soins (sans doute de malaria) et dans un lieu voisin fut enseveli". On est le 18 juillet 1610. Sa tombe ne sera jamais retrouvée.

La figure du fond du Martyre de saint Matthieu représente un autre autoportrait de l'artiste.

GARÇON A LA CORBEILLE DE FRUITS

1594/96 - Huile sur toile, 70 x 67 cm - Rome, Galerie Borghese

Pour le Caravage, il n'y a pas de différence entre le fait de peindre une nature morte ou un tableau avec des personnages: surtout si le sujet – des fleurs, des fruits ou des gens du peuple – est vu et observé avec une capacité d'analyse identique, et baigné dans une même lumière qui le fait sortir de l'obscurité, dans la même atmosphère mystérieuse, évoquant l'idée de la mort.

Parce que l'idée de la mort peut être présente aussi dans la représentation d'une corbeille de fruits. Lorsque les hommes sont absents ou disparaissent, il ne reste que les choses qui semblent se consumer en attendant de disparaître elles aussi. C'est ainsi que les fruits mûrissent, puis pourrissent, les feuilles se fanent, et tout semble devoir retourner rapidement dans l'ombre, d'où la lumière et le pinceau de l'artiste les ont tirés. Il est évident que pour le Caravage, peintre aimant la réalité, chaque chose, chaque détail joue un role défini et a une signification précise dans la composition. C'est pourquoi dans beaucoup de ses œuvres, il met en valeur des éléments secondaires, comme les drapés, les fruits, les vases en verre, les fleurs, qui ancrent la représentation dans la réalité tout en rappelant la caducité et la précarité des choses.

Dans le *Garçon à la corbeille de fruits*, il y a le jeune protagoniste, le beau visage entouré d'une chevelure brune, les yeux à peine voilée d'une légère mélancolie, mais il y a surtout la grande corbeille qui couvre presque entièrement la figure: le jeune homme resplendit dans le relief des couleurs tandis que, comme c'est la coutume dans les natures mortes où les feuilles en train de se dessècher et la présence d'insectes suggèrent la caducité des choses de ce monde, les feuilles s'affaissent et se fanent, dans les verts qui deviennent ocres.

1

2

Le Bacchus adolescent (1594/96 - Huile sur toile, 95 x 85 cm - Florence, Galerie des Offices), étendu sur le blanc du drap, contraste avec les tons des fruits et des pampres qui couronnent la chevelure noire bouclée. Mais les fruits de la corbeille ont les tonalités brunes de la matière en état de pourrissement.

La moitié inférieure du tableau est occupée par la corbeille de fruits, entourée par la ligne des épaules du jeune garçon: un portrait, bien sûr, mais surtout une nature morte qui prendra bientôt assez d'importance pour devenir un sujet autonome.

On retrouve souvent chez le Caravage le motif du temps qui passe et éteint les couleurs et la vie.
1) Dans le Jeune Bacchus malade (1593 - Huile sur toile, 66 x 52 cm - Rome, Galerie Borghese), le ton ocre velouté des pêches fait pendant au bleu noir à peine voilé de la grappe de raisin; on aperçoit derrière le jaune orangé des premières feuilles sèches.
2) Dans l'Enfant mordu par un lézard vert (1593 - Huile sur toile, 66 x 34 cm - Florence, Galerie des Offices), le lézard, symbole des pièges qui se cachent derrière ce qui semble bon et beau, surgit de feuilles et de baies qui ont perdu leur éclat et leur fraîcheur (il n'y a que le rouge des deux cerises qui resplendisse).

REPOS PENDANT LA FUITE EN EGYPTE

1594/96 - Huile sur toile, 130 x 160 cm
Rome, Galerie Doria Pamphili

Comme Annibale Carrache, le Caravage s'oppose à la culture maniériste romaine (qui reproduit la manière des grands peintres précédents). Mais tandis que Carrache est tourné vers le monde classique, le Caravage refuse ce dernier parce qu'il l'éloigne de la seule réalité qui compte, le présent. Une réalité que dès les premiers tableaux, le Caravage traite avec une nouvelle rigueur morale et un lyrisme inspiré. Ses premières toiles ont les couleurs "douces et franches" de la peinture vénitienne; elles ne sont pas encore plongées dans l'ombre pour être révélées par la lumière du drame et de la vie.

Le *Repos pendant la fuite en Egypte* est simple et d'une lecture immédiate: on découvre de face Joseph et Marie qui enlace tendrement son enfant, et derrière la silhouette de l'âne; la figure de l'ange, de dos, semble surgir de la spirale du voile qui entoure ses flancs et ses jambes.

Le divin et le réel sont donc en présence l'un de l'autre, et les couleurs indiquent le passage de l'un à l'autre: les figures de Joseph et Marie sont dans des tons de terre,

mais le manteau bleu de cette dernière constitue un passage vers les tons verts du pré au premier plan, avec les touffes d'herbe et les pierres; la perspective aérienne du fond est dans des tons verts et des bleus dégradés; l'ange qui joue du violon est dans des tons clairs, blancs rosés.

Ci-dessus: Marie-Madeleine - 1594/96 - Huile sur toile, 106 x 97 cm - Rome, Galerie Doria Pamphili. L'attitude d'épuisement de cette figure est très proche de celle de la Vierge.

L'axe vertical de la composition est légèrement déplacé sur la figure de l'ange qui constitue le lien entre les figures de Joseph et Marie, et surtout entre le divin et le terrestre.

— 6 —

CORBEILLE DE FRUITS

1596 - Huile sur toile, 46 x 64,5 cm
Milan, Pinacothèque Ambrosienne

Grâce à ce tableau, la peinture de genre réussit à conquérir son autonomie, ouvrant ainsi le chemin à la nature morte italienne. Les fruits, la corbeille, les formes et les couleurs deviennent des protagonistes; ils sont représentés avec objectivité, presque avec détachement, dans une lumière qui fait ressortir les détails: la rugosité de la peau des figues, le brillant de la pomme véreuse, la transparence du raisin voilée de poussière, le profil des feuilles racornies.

D'un côté la vérité de la nature, source d'inspiration, de l'autre, le sens et l'interprétation des contenus: la conscience de la mort et des signes de sa présence.

Le Caravage prépare son modèle en plaçant sa corbeille sur le rebord de la table. Il le compose de façon à ce que le rouge-jaune de la pomme soit à côté du violet-noir des figues et de l'ocre opaque du raisin, et que le tout soit entouré du vert sombre des feuilles. Mais il ne le peint pas tout de suite: il attend que les tons des fruits perdent de leur vivacité, que les feuilles jaunissent et se dessèchent dans une atmosphère absolue qui transforme le modèle en symbole.

Le Caravage ne cherche pas le beau, mais le vrai. Plutôt qu'une activité intellectuelle, l'art est pour lui une activité morale. En représentant des fruits qui pourrissent petit à petit et meurent, il évoque la mort qui guette dans l'ombre et qui peu à peu enveloppera la corbeille éteignant la lumière qui l'a faite vivre pour nous.

LA TECHNIQUE

Le Caravage n'aime pas les études préliminaires; il dessine directement sur la toile au fusain et ses rares esquisses préparatoires ne sont que des schémas comparatifs pour étudier les proportions (pour ses grands tableaux religieux essentiellement) qu'il détruit après s'en être servi.

Sur sa toile, enduite de colle et de plâtre blanc, il dessine le profil de la corbeille (1) sur le schéma de la diagonale (de gauche à droite) et des obliques qui la croisent. Les deux grandes feuilles, celle qui se dresse à gauche et celle qui est fânée en bas à droite, terminent la composition. L'artiste étale alors les premières zones de couleur avec un pinceau assez gros: les tons chauds des fruits (2) et de la corbeille, et les tons froids des feuilles(3) commencent à apparaître sur le fond jaune.

Les couches suivantes sont appliquées avec un pinceau plus dur: dans un premier temps, le contraste entre la zone de lumière et la zone d'ombre est net; puis, avec un pinceau plus souple, les tons de la lumière et de l'ombre sont raccordés dans une zone intermédiaire dégradée.

Le Caravage fignole enfin les détails: le glacis de la peau, le tressage de l'osier, la poussière des grains de raisin, les reflets, avec des pinceaux à la pointe fine. Mais le tableau n'est pas encore terminé. Peut-être demain, cette feuille qui en train de se faner à droite aura-t-elle pris exactement la forme que l'artiste désire? Il la retravaillera alors pour restituer l'annonce de la mort qu'elle porte en elle.

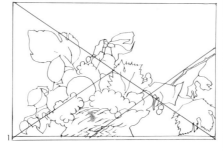

1

2

3

LA VOCATION
DE SAINT MATTHIEU

détail - 1599 env. - Huile sur toile, 322 x 340 cm
Rome, Saint-Louis-des-Français

Matthieu était gabelou: la scène représente donc un corps de garde dans un décor dépouillé, avec de hauts murs dans lesquels s'ouvre une fenêtre sans lumière, une table autour de laquelle cinq joueurs sont assis, vêtus avec des habits de l'époque de l'artiste. A droite, la figure de saint Pierre, vue de dos, qui cache presque entièrement la figure du Christ ne laissant voir que son visage et sa main droite (les radiographies de ce tableau, comme du reste celles du *Martyre de saint Matthieu*, révèlent des remaniements qui montrent bien que l'évolution du Caravage vers ses extraordinaires clairs-obscurs n'a pas été linéaire, mais le fruit d'hésitations et de recherches difficiles).

La disposition des personnages de la *Vocation de saint Matthieu* est sans doute la plus "moderne", la plus "cinématographique", de toutes celles conçues par l'artiste. Les personnages semblent installés par un metteur en scène ayant le sens du drame et de l'instant: à l'arrivée de Jésus, tous les joueurs se retournent stupéfaits, sauf un qui est encore en train de compter son argent. La lumière est elle aussi cinématographique: un véritable faisceau qui semble provenir d'un projecteur situé à droite, hors de la scène (ce pourrait être une fenêtre placée très haut), tombant sur saint Pierre, Jésus et les cinq personnages autour de la table. Cette lumière, cette présence sont les symboles de Dieu qui interpelle l'homme quand il s'y attend le moins, peut-être même de préférence au moment où il est en train de pécher: et l' "actualité" de la

A gauche: La vocation de saint Matthieu (en entier).
Ci-dessus: les mains des personnages sont mises en évidence. Elles renvoient l'une à l'autre dans un colloque muet mais très éloquent: la main de Jésus et celle de Pierre avec l'index pointé, et la main de Matthieu pointée sur lui-même qui conclut la série.

plus, d'exceptionnel, qui nous donne cette impression d'être vraiment "dans" la scène: aux couleurs, aux formes, à la lumière, il faut ajouter le son, la voix, mieux les voix suggérées par les mains des protagonistes qui semblent parler silencieusement. La voix du Christ qui, en entrant dans la pièce, montre Matthieu du doigt et dit:"Toi!"; nous l'entendons, cette voix qui se propage dans l'espace avec la lumière; la voix de Pierre qui pointe le sien sur Matthieu et demande avec incertitude: "Lui?"; celle de Matthieu, enfin, qui, surpris et incrédule, se touche la poitrine avec l'index et s'interroge: "Moi?"...

représentation, avec ces hommes portant des habits de la fin du XVIe siècle, nous confirme que le Caravage ne veut pas peindre un événement lointain, mais montrer que cette grâce arrive souvent et pourrait envahir chacun de nous à tout moment.
La vocation de Matthieu est contenue dans ce rayon de lumière physique qui traverse les ténèbres et ouvre le chemin à Jésus, au geste de la main qui indique l'élu.
Et comme si cela ne suffisait pas, ce geste de la main avec l'index tendu est repris par Pierre, puis par Matthieu lui-même. Le récit, l'histoire sacrée, devient image: nous le vivons avec les protagonistes, entrant dans la scène, dans le cube de la pièce, derrière Pierre qui nous précède en s'appuyant sur son bâton. Le Caravage, comme tous les grands artistes, réussit à nous impliquer dans l'événement: grâce à sa perspective qui nous attire dans la fiction de l'espace au-delà de la toile, grâce à la lumière qui donne vie et épaisseur aux figures et au décor, grâce aux mouvements qui reprennent des attitudes quotidiennes, grâce à la magie de l'atmosphère qui semble annuler le temps.
Mais il y a encore quelque chose de

LE MARTYRE
DE SAINT MATTHIEU

1599 env. - Huile sur toile, 323 x 343 cm - Rome, Saint-Louis-des-Français

Ce tableau du Caravage rappelle celui du Tintoret qui représente *Saint Marc libèrant un esclave*: même composition mouvementée en diagonale, même faisceau de lumière sur les figures, même exécution qui s'accorde parfaitement avec l'idée qu'on veut transmettre.

Les deux scènes sont pourtant très différentes: chez le Tintoret, le saint arrive du ciel en volant dans un raccourci très audacieux; ici, le saint est représenté durant son martyre, devant les curieux effarés qui se pressent dans un désordre étudié. La figure de Matthieu est drapée et reliée par le bras qui l'entoure à la figure nue du bourreau. Le saint soulève la main à la fois pour se défendre et pour saisir la palme du martyre que lui tend un ange sur un nuage.

C'est un discours à trois personnages, le saint, le bourreau et l'ange, dramatiquement encadrés par ceux qui assistent avec effroi à la scène, disposés en une sorte de cercle qui correspond au cercle de lumière induit par un faisceau lumineux provenant du haut à gauche.

L'action (ou plutôt les actions puisque

Le Tintoret: Saint Marc libèrant un esclave (détail) - 1548 - Huile sur toile, 415 x 545 cm - Venise, Galeries de l'Académie.

le martyre et la gloire sont représentés en même temps) est révélée par la lumière qui la sort de l'ombre; la foule de curieux qui entoure les protagonistes impose sa présence avec force grâce à la composition et à la lumière.

L'ensemble compose une scène spectaculaire, où les attitudes ont une grande intensité dramatique. Cette théâtralité n'empêche pas le Caravage de faire de nous des acteurs et non des spectateurs.

Comment? Grâce au "cadrage", encore une fois totalement cinématographique, avec ce premier plan à droite, vu de dos, et la direction de la lumière qui nous oblige à nous rapprocher, à "entrer dans la scène", pour mieux voir, pour scruter l'ombre afin de découvrir les figures cachées et saisir leurs expressions.

Les figures face à face laissent découvrir le personnage de face. Le Caravage donne à chacun un caractère et une individualité qui accentuent

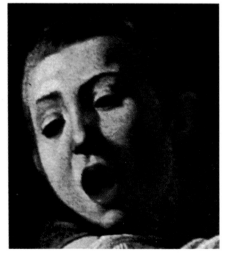

l'intensité dramatique de l'événement: nous voyons, par exemple, la férocité du bourreau, au centre, ou la peur du jeune garçon qui fuit sur la droite.

La lumière provenant du haut à gauche dessine les profils des personnages qui assistent à la scène, créant une sorte de cercle magique qui entoure les protagonistes: l'ange, le bourreau et le saint. Les figures sont disposées selon les deux diagonales.

LA CRUCIFIXION
DE SAINT PIERRE

1600/01 - Huile sur toile, 230 x 175 cm - Rome, Santa Maria del Popolo

Dans ce tableau du Caravage, les éléments essentiels ne sont pas l'atmosphère ou l'association des couleurs, ni la ligne du contour ou la douceur du clair-obscur, mais la présence des corps, déformés ou coupés par le raccourci perspectif, et la réalité des objets décrits dans leurs moindres détails. A ce "naturalisme", il faut ajouter la trouvaille picturale qui consiste à révéler la réalité et les détails grâce au contraste entre l'ombre et la lumière: une lumière qui déchire latéralement l'obscurité dans laquelle les figures sont plongées avec une force extraordinaire.
Cette fois encore, la scène est vue de très près, l'observateur est pratiquement sur les personnages, témoin impuissant du drame qui se déroule sous ses yeux. Cette façon de "cadrer" nous fait entrer dans l'événement, terriblement humain.
La lumière qui révèle le martyre met en valeur ce qui fait la force du tableau, c'est à dire la composition, le cadrage difficile de la mise en scène,

les diagonales des quatre corps qui remplissent l'espace, qui se croisent et suggèrent l'effort, l'instabilité, des forces et des sentiments contrastés. C'est le contraste des diagonales déterminant la position des personnages qui réussit à créer cette sensation de mouvement. Les attitudes sont extrêmement recherchées: la figure du premier plan est agenouillée, la deuxième passe une corde autour des pieds du saint, la troisième se penche pour soulever la croix; et par opposition à ces figures repliées et compactes, le corps presque étendu et incliné de saint Pierre qui traverse l'obscurité de la scène, profondément humain et touchant avec sa tête un peu relevée et ses yeux surpris et apeurés.
Les détails sont extraordinaires: il suffit de regarder les pierres au premier plan, deterrées par la pelle que l'homme accroupi serre dans ses mains, ou bien les pieds de l'homme et ceux de saint Pierre d'un réalisme si fort qu'il confine avec le fantastique.

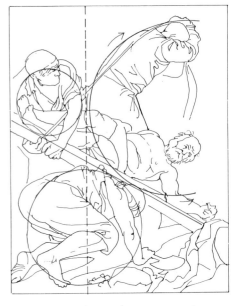

La composition se base sur les rapports entre les lignes droites obliques (l'axe de la croix et la corde tirée par l'un des bourreaux) et les lignes courbes des corps pliés dans l'effort, créant un jeu de contrepoids qui donne une impression d'équilibre instable et d'effort véritable.

Michel-Ange choisit pour sa Crucifixion un "plan général" avec une multitude de personnages, dans un paysage désolé sous un ciel nuageux. Malgré la différence de conception, on remarque certaines correspondances: le Caravage, par exemple, semble avoir regardé la scène peinte par Michel-Ange comme s'il se trouvait au pied de la croix en représentant de dos l'homme accroupi près de la branche et de face la figure du saint.

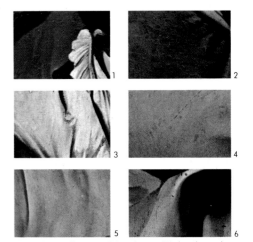

L'association du rouge (1) et du vert (2) du gilet et du pantalon des deux bourreaux, mise en valeur par le blanc des chemises (3) et du drap qui couvre saint Pierre, ressort sur les tons sombres du fond; tout comme les tons ocre (4) du pantalon du troisième bourreau, l'ocre-carné (5) des corps nus, les marrons de la croix, et, seuls tons froids, les bleus (6) du manteau au premier plan.

LA CONVERSION DE SAINT PAUL

1600/01 - Huile sur toile, 230 x 175 cm - Rome, Santa Maria del Popolo

Le Caravage, en homme de son temps, veut entrer dans le mystère du présent pour en comprendre les contrastes avec plus de lucidité: la lumière devient donc pour lui le moyen symbolique et pictural le plus sûr de donner une signification idéale à la réalité des faits et des personnages qu'il construit avec son clair-obscur ou mieux qu'il fait surgir de l'ombre où ils vivent et agissent. C'est la leçon que les maîtres du XVIIe siècle, Rembrandt, La Tour, Vélasquez, Vermeer, apprendront de lui.

Dans la *Conversion de saint Paul*, la protagoniste est donc la lumière: la lumière de la grâce, symbole de la présence de Dieu qui frappe avec force et jette à terre le cavalier sur le chemin de Damas pour lui révéler la voie de la vérité et de la vie. Encore une fois, les figures ont une dimension que le rectangle du tableau n'arrive pas entièrement à contenir. Le Caravage nous a habitués à cette façon d'encadrer les protagonistes, de très près, en nous entraînant dans l'événement éclairé par un faisceau lumineux dont la source est toujours invisible.

L'image du cheval est étudiée et représentée avec la même passion et la même précision que celle des personnages: sa présence est particulièrement significative puisque le cheval (libéré des courroies qui tenaient la selle et le harnais) est la représentation du "terrestre" par contraste avec la lumière "divine" qui se reflète sur les rouges du manteau où est étendu Paul de Tarsus, finalement chrétien.

Les couleurs de la toile sont toutes chaudes; les reflets rouges et orange du manteau et de la cuirasse du saint, qui s'allument pour signifier la grâce divine, ressortent sur les ocres clairs, les terres, les terres d'ombre et terre de Sienne brûlée et sur les marrons-noirs de l'obscurité.

Dans la Conversion de la collection Odescalchi Balbi (1594/96 - Huile sur toile, 237 x 189 cm), l'agitation qui domine la scène, la foule de personnages, le geste du saint qui se couvre les yeux, l'affolement du cheval ne réussissent pas à créer la même intensité dramatique que celle du tableau de Santa Maria del Popolo qui joue plus sobrement sur le geste de peur et d'acceptation du cavalier.

La figure du guerrier au casque à plumes, les anges qui surgissent du ciel, le cheval emballé distraient l'observateur de l'essence de l'événement, diminuant en conséquence le poids de la figure du saint.

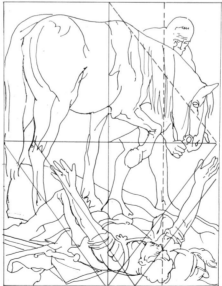

C'est le cadrage très proche de la scène qui lui donne une telle intensité dramatique. Il suffirait d'élargir la perspective pour que la tension diminue.

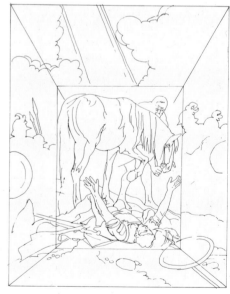

Les bras ouverts (sur les deux diagonales qui s'unissent en une sorte de triangle) sont une invitation à recevoir la lumière de la grâce.

SAINT MATTHIEU ET L'ANGE

1602 - Huile sur toile, 296 x 189 cm - Rome, Saint-Louis-des-Français

Au début de 1602, le Caravage présente aux prêtres de l'église de Saint-Louis-des-Français un grand tableau destiné à l'autel, représentant *Saint Matthieu et l'Ange*. Le saint aurait dû être représenté en train d'écrire l'évangile, avec à ses côtés l'ange qui lui souffle la parole divine. Mais le jeune et impétueux Caravage imagine une scène très éloignée de la tradition, une scène humaine et terrestre: un pauvre travailleur fatigué par l'âge et le labeur, les pieds nus et noirs de poussière, le front plissé, s'efforce d'écrire aidé par un ange adolescent qui guide doucement sa main, comme un maître ferait avec son élève.

Quand l'artiste remet le tableau à ses commanditaires, ces derniers sont indignés par cette scène insolite: cette façon de représenter le mystère de l'inspiration divine comme s'il s'agissait banalement de l'enseignement d'un maître leur semble un manque de respect et de fidélité aux Saintes Ecritures. Le tableau est refusé et le Caravage doit recommencer son travail. Cette fois, pour ne pas courir de risques, il peint sa scène selon les canons traditionnels tout en lui donnant bien sûr la vivacité et la vérité qui caractérisent chacune de ses œuvres. L'ange est enveloppé dans un drapé qui forme une espèce de nuage, le saint est en train d'écrire, debout au dessus de la table, un genou appuyé sur le banc, la tête tournée vers l'apparition céleste.

Dans la première version, l'union entre l'ange et saint Matthieu est rendue par la juxtaposition immédiate des corps et l'attitude des deux figures. Dans la seconde toile, ce rapport est déterminé par la composition en spirale qui relie les deux personnages à travers le motif des manteaux; par les tons des couleurs qui vont de l'ocre de l'ange au brun du fond, au rouge du manteau du saint; par les

Première version de Saint Matthieu et l'Ange. Elle était conservée au Kaiser-Friedrich Museum de Berlin, mais fut détruite pendant la dernière guerre.

regards du saint et de l'ange qui se croisent dans un lien idéal plus fort qu'aucun lien réel; par le langage des mains, celles du saint en train de s'efforcer maladroitement d'écrire, celles de l'ange faisant un geste d'explication élémentaire; par la modulation de l'espace à travers le raccourci de la table et du tabouret.

Le drapé aux plis serrés du voile de l'ange constitue une espèce de tourbillon d'où sortent les mains de ce dernier; il est lié à la figure du saint agenouillé par une sorte de spirale en S.
Le point de vue bas choisi par l'artiste est très suggestif: il donne de la profondeur à la perspective de la table et un grand relief au livre qui dépasse du bord; le coin du tabouret qui oscille sous le genou du saint semble sortir de la toile et entrer dans l'espace de l'observateur.

Les tons marrons de la table et du tabouret (2) s'accordent sur le ton sombre du fond (1) tandis que le rouge vermillon du manteau de saint Matthieu (3) et les ocre-jaune-blanc de l'habit de l'ange(4) se détachent dans une harmonie lumineuse.
Comme c'est souvent le cas, le Caravage n'utilise dans sa palette que des tons chauds: ocre, jaune, rouge, terre brûlée, qui sont du reste les couleurs de la lumière, et qu'il éclaire des transparences lumineuses de son clair-obscur.

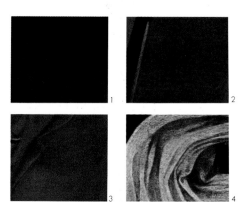

LA MISE AU TOMBEAU

1602/04 - Huile sur toile, 300 x 203 cm - Rome, Pinacothèque Vaticane

Dans cette *Mise au tombeau*, le Caravage perfectionne les deux instances fondamentales de sa peinture: d'un côté, la synthèse volumétrique née de la lumière qui éclaire les figures des protagonistes, de l'autre, étroitement liée à la première, la lumière qui révèle la vision.

Le "luminisme" du Caravage, qui fixe les personnes et les choses au moment le plus significatif et le plus expressif de l'événement, est presque un moyen scientifique de révélation d'un monde nouveau.

Les six personnages de la *Mise au tombeau* acquièrent ainsi une force dramatique particulière dans l'ensemble des gestes qui accompagnent la déposition du Christ dans le sépulcre. La composition les lie les uns aux autres en un seul groupe, selon un mouvement descendant en spirale qui commence par les bras levés de la femme à droite et se termine dans les plis du morceau de linceul. La lumière, qui descend à pic, s'arrête sur chacun des protagonistes et les précise les uns

après les autres: la femme à l'expression désespérée qui lève les bras au ciel; l'autre femme, le visage penché dans l'ombre, en train de sécher ses larmes; la Madone, qui tend la main comme si elle voulait caresser une dernière fois le visage de son Fils; l'homme qui soutient le corps du Christ; le personnage au premier plan qui se tourne lentement vers nous, en nous jetant un regard qui constitue le lien entre la représentation et la réalité, comme s'il voulait nous demander de l'aide ou nous signifier qu'il n'y a pas de différence entre l'observateur et lui qui transporte le corps du Fils de Dieu, mort pour racheter nos péchés. Et, enfin, le corps du Christ en pleine lumière, dans un abandon tel qu'il semble bouger doucement, souligné par le drapé souple du linceul replié sur le couvercle du tombeau, un corps qui semble sortir du tableau. La diagonale qui descend de la droite vers la gauche est interrompue par l'arc du corps du Christ dont le visage attire irrésistiblement notre attention.

La sensation de mouvement est suggérée par l'inclinaison progressive des figures du groupe de la droite vers la gauche; la séquence en diagonale des visages des personnages se termine dans la luminosité qui révèle la pâleur du visage de Jésus.

Dans les Lamentations sur le Christ mort de Giotto (a gauche, le schéma), qui se trouve dans la Chapelle des Scrovegni à Padoue, on retrouve déjà ce mouvement vers le corps de Jésus: les figures se penchent progressivement vers lui jusqu'à l'étreinte de la mère.

LES MAINS
Le langage des mains contribue au récit dramatique de l'ensemble du tableau, des mains étudiées avec attention et exécutées avec une grande force d'expression.

LES PELERINS D'EMMAÜS

1605/06 - Huile sur toile, 141 x 175 cm
Milan, Pinacothèque de Brera

Comme Giotto ou Dürer, le Caravage veut représenter les épisodes sacrés comme s'ils se déroulaient sous ses yeux, dans le champ d'à côté ou l'auberge du village.

Naturellement, la façon d'utiliser la lumière et le clair-obscur sert ses intentions. La lumière n'est pas là pour donner de la grâce et de la souplesse aux corps; c'est une lumière dure et presque aveuglante, provenant d'une direction précise, un faisceau lumineux qui fait ressortir crûment la scène.

Le Caravage situe ses *Pèlerins d'Emmaüs* dans une taverne; l'aubergiste devient le témoin des instants les plus solennels des Saintes Ecritures: Dieu n'est pas un personnage lointain vu dans sa gloire infinie, mais il est ici, sur terre, parmi les pauvres et les humbles.

L'artiste peint au moins deux versions des *Pèlerins d'Emmaüs*. La première, de 1596 environ, représente le Christ, vu de face, entre deux hommes avec un troisième debout à côté de lui. La lumière révèle les personnages et les objets: une belle nature morte ressort sur la table dressée, avec une magnifique corbeille de fruits qui rappelle ses premiers tableaux.

La seconde version, peinte dix années plus tard, est celle d'un Caravage encore plus acharné à découvrir dans l'obscurité le secret de la vie.

Le décor est totalement plongé dans l'ombre, et de l'ombre naissent les corps, les gestes, les expressions des personnages. La composition est semblable à la précédente (avec un personnage en plus: la femme de l'aubergiste debout à côté de lui), mais la table est devenue plus pauvre: les riches natures mortes ont disparu, il ne reste que le vin et les pains.

Pèlerins d'Emmaüs - 1596/98 - Huile sur toile, 139 x 195 cm - Londres, National Gallery. Les vivres qui décorent la table ont une signification allégorique: le raisin et les grenades sont des emblèmes du martyre; les pommes, les fruits de la grâce, mais aussi du péché originel.

LA MORT DE LA VIERGE

détail - 1605/06 - Huile sur toile, 369 x 245 cm
Paris, Musée du Louvre

Le Caravage n'a pas pour but de scandaliser la société en refusant de montrer du respect pour la beauté ou la tradition: c'est un artiste sincère et tourmenté qui n'essaie pas de se faire remarquer. Sa peinture qui semble irrévérencieuse est en réalité profondément religieuse: le divin se révèle dans les personnes et les choses les plus humbles, la poésie est l'expression de la vie intérieure; elle est dans le réel et en constitue la signification la plus authentique. C'est pourquoi les personnages de ses tableaux sont des gens simples, humbles et souffrants. Pourquoi se scandaliser alors si les mains sont enflées et rougies par le travail, ou si les pieds sont sales? Pourquoi se scandaliser si la Madone a toutes les caractéristiques, tragiques et douloureuses, d'un corps moribond? Une nouvelle fois, le clergé (celui de Santa Maria della Scala, en l'occurence) refuse ce tableau de la Madone qui représente "une morte gonflée" comme pourrait l'être une femme noyée. Est-ce un nouveau

scandale ou plutôt la volonté répétée de l'artiste de représenter les histoires de Jésus descendu sur terre pour racheter les péchés des hommes et se fondre parmi eux, père et frère de ses semblables? Comment ne pas voir dans la figure de la Madone l'image de la mort, et dans la femme qui pleure désespérement (Marie Madeleine) et les parents (les apôtres) qui l'entourent la solidarité dans la douleur des plus humbles? Et surtout comment ne pas voir dans l'image de la mort la présence de Dieu dans les faits de la vie de tous les jours, dans les drames des gens simples et souffrants? Mais l'Eglise officielle de l'époque ne peut ni ne veut comprendre une telle interprétation de ses textes fondateurs.

Ce pourrait être la mort de n'importe qui s'il n'y avait cette lumière pour nous révéler la signification profonde et mystérieuse de cette mort, et, au-dessus du faisceau lumineux, ce drapé qui comme un nuage ou un baldaquin entoure et protège la scène, au-delà du lieu et du temps.

La composition est presque cinématographique: des personnages au premier plan, Marie couchée dans la lumière et derrière les apôtres (et dominant le tout, les larges plis du drapé). Le faisceau de lumière qui provient de la gauche illumine le corps de la Vierge, frappe les têtes baissées des apôtres et le dos plié par les sanglots de Marie-Madeleine et laisse régner tout autour l'obscurité des ténèbres.

En regardant ce tableau, on a l'impression d'entendre les sanglots des présents: cette fois, le Caravage ne peint pas la douleur par des attitudes désespérées, mais dans les visages penchés et cachés dans les mains pour pleurer.

LES SEPT ŒUVRES DE MISÉRICORDE

1607 - Huile sur toile, 390 x 260 cm - Naples, Pio Monte della Misericordia

Le tableau unit les œuvres de miséricorde corporelle en une seule représentation à la construction complexe; il confirme que pour le Caravage la valeur de l'art ne réside pas dans la noblesse des contenus et des formes, mais dans l'engagement de l'auteur et l'implication de l'observateur.

C'est l'une des dernières œuvres du Caravage et elle apparaît comme son testament spirituel, comme un espace dans lequel il a voulu mettre l'angoisse qui rongeait son âme et sa vie, peut-être même une interrogation sur la raison de son être au monde et sur le mystère de l'au-delà...

Dans cette multitude de personnages, chacun fait son œuvre de miséricorde: une femme donne le sein à un vieux prisonnier; un élégant cavalier, qui représente saint Martin, partage son manteau avec un pauvre sans habits, assis par terre; un homme, peut-être le propriétaire d'une auberge, à l'extrême-gauche de la toile, invite un pèlerin à entrer; un porteur soutient le

Dans la Madone du Rosaire (1605/07 - Huile sur toile, 364 x 249 cm - Vienne, Kunsthistorisches Museum), on retrouve l'élément du drapé, plus rigide, qui coiffe la scène avec son imposante masse rouge; on retrouve aussi ce petit peuple d'ouvriers et de paysans aux pieds sales qui tendent des mains implorantes vers la Vierge.

Ci-dessous: Ce tableau est trop complexe, trop riche en épisodes pour trouver un schéma qui unifie la composition. Comme toujours, le Caravage peint d'un seul jet, directement sur sa toile. On retrouve indubitablement le mouvement en spirale qui lui est cher; mais surtout, bien sûr, la lumière, l'élément unificateur qui sort de l'ombre les différents épisodes.

suaire d'un mort, illuminé par la torche d'un sacerdote.

La scène semble avoir lieu dans une ruelle étroite, comme s'il s'agissait de la représentation d'un Mystère, selon une unité de temps, de lieu et d'action que l'on retrouvera dans le *Martyre de sainte Ursule*, réalisé peu de temps avant la mort de l'artiste.

Dans une première version, le haut de la toile n'était occupé que par des anges, mais sur requête des commanditaires, le Caravage ajoutera la figure de la Madone. Les anges qui descendent vertigineusement du ciel évoquent le *Jugement dernier* de Michel-Ange, mais aussi le *Martyre de*

saint Matthieu, tandis que la figure de l'homme qui porte le suaire du mort reprend celle de l'un des porteurs du Christ de la *Mise au tombeau* de Raphaël.

La multiplication des épisodes et la superposition des œuvres souffrent d'un manque d'élaboration de la composition, mais la lumière donne une unité symbolique à cette dispersion; elle révèle dans les gestes, les visages et les expressions des personnages les différentes significations morales et fait de l'homme quelconque le témoin potentiel et le protagoniste de chacune des sept œuvres.

UN GENIE ENCORE INCOMPRIS

"**P**lus d'un demi-siècle d'études sérieuses sur le Caravage n'ont pas suffi à effacer cette image de feuilleton, d'artiste bohémien dans le meilleur des cas, d'artiste 'maudit' dans le pire" affirmait en 1988 le critique italien Giuliano Briganti. Il est vrai que pour beaucoup Michelangelo Merisi dit le Caravage est encore le peintre "fou et imbécile" dont parlaient les chroniqueurs de son époque et qui, dans la littérature artistique de la fin du XIXe siècle et surtout du XXe siècle, est devenu l'emblème de l'artiste génial et sans foi ni loi.
Cette conviction en entraîne une autre – plus pernicieuse du point de vue de la compréhension d'un des maîtres de l'histoire de l'art – selon laquelle le Caravage est un peintre d'une "modernité" révolutionnaire, isolé spirituellement et culturellement du contexte de l'art et de la pensée du XVIIe siècle.

UN DIVULGATEUR DE TEXTES SACRES

Cela n'ôte rien bien sûr au fait que la vie du Caravage fut nourrie de drame, de violence et de désespoir, et que cela ne pouvait pas ne pas se refléter dans sa peinture. Mais, comme l'affirme encore Briganti, "pour comprendre le Caravage, il n'est pas vraiment nécessaire de connaître les événements mouvementés, très mouvementés même, de sa vie violente, mais plutôt de connaître son esprit, l'idée qu'il avait du rôle de la peinture...".

Une idée et un rôle qui ne surgissaient pas de rien, comme s'ils étaient le fruit miraculeux d'une illumination extraordinaire et solitaire, mais naissaient et se nourrissaient de suggestions visuelles, et surtout

LE CARAVAGE ET SON TEMPS

	SA VIE ET SON ŒUVRE	L'HISTOIRE	LES ARTS ET LA CULTURE
1571	Il naît le 29 septembre à Milan, de Fermo Merisi et Lucia Aratori	Victoire de la flotte chrétienne sur les Turcs à Lépante Pie V crée la Congrégation de l'Index pour mettre à jour l'index des livres interdits	Titien: *Le Couronnement d'Epines* M. de Montaigne se retire dans ses terres pour rédiger les *Essais* Juan Fernández de Navarrete peint la *Décapitation de Saint Jacques* à l'Escurial
1577	Son père meurt (peut-être de la peste)	Francis Drake commence sa circumnavigation du globe avec des actes de piraterie contre les navires espagnols Guillaume d'Orange gouverneur des Pays-Bas	El Greco commence le *Rétable de Santo Domingo el Antiguo* Agrippa d'Aubigné commence *Les Tragiques* P. Véronèse termine *Le Triomphe de Venise* pour le plafond de la salle du Grand Conseil du Palais Ducal
1584	Il commence son apprentissage à Milan, dans l'atelier du peintre Simone Peterzano, où il restera jusqu'en 1588	Charles Borromée meurt à Milan Mort du tsar Ivan IV le Terrible Henri de Navarre devient l'unique héritier du trône de France après la mort de François d'Anjou	Giordano Bruno: *Le repas des cendres* Ronsard met la dernière main aux Grandes éditions de ses œuvres Paul Brill: fresques de la Tour des Vents au Vatican
1592	Il se transfère à Rome. L'année suivante, il entre dans l'atelier de Giuseppe Cesari, Cavalier d'Arpin	Sigismond III Vasa roi de Pologne devient roi de Suède Les Portugais à Mombasa Galilée est nommé professeur de mathématiques à l'université de Padoue	Le Tintoret peint (jusqu'en 94) la *Cène*, la *Récolte de la manne*, la *Mise au tombeau* pour San Giorgio Maggiore à Venise Représentation de la fable pastorale *Daphné* d'Ottavio Rinuccini
1596	Il peint *La corbeille de fruits*	L'Angleterre, la France et les Pays-Bas s'allient contre l'Espagne La capitale de la Pologne se transfère de Cracovie à Varsovie	Naissance de Descartes Mort du dramaturge anglais George Peele Diego Bernardes publie le recueil de vers *Rimas varias* et *Flores do Lima*
1599	Première commande officielle: les *Histoires de saint Matthieu* pour Saint-Louis-des-Français à Rome	Arrestation de T. Campanella pour avoir organisé une conjuration anti-espagnole L'Espagne commence des négociations de paix avec l'Angleterre et les Pays-Bas	Naissance de Vélasquez Naissance de Van Dyck Construction du célèbre théâtre *The Globe* à Londres Thomas Dekker: *The Shoemaker's Holiday*
1600	*Crucifixion de saint Pierre* et *Conversion de saint Paul* pour Santa Maria del Popolo à Rome	Henri IV de France épouse Marie de Médicis Giordano Bruno est brûlé vif à Rome Fondation de la Compagnie anglaise des Indes Orientales	Shakespeare: *Hamlet* Malherbe dédie à Marie de Médicis une *Ode sur sa bienvenue* Naissance de Calderón de la Barca
1603	Il subit un procès avec certains de ses amis pour diffamation contre le peintre Giovanni Baglione	Mort d'Elisabeth Iere d'Angleterre Premiers établissements français au Canada Tokyo devient capitale du Japon	Le Greco: *Retable de la Charité* à Illescas Le Cavalier d'Arpin est chargé de décorer en mosaïque la coupole de Saint-Pierre de Rome

morales et spirituelles, bien précises.

Michelangelo Merisi (frère et neveu de deux ecclésiastiques, ne l'oublions pas) a plus de vingt ans lorsqu'il arrive à Rome; il a vu et connu les œuvres des artistes lombards, de Moretto à Moroni, de Savoldo à Lotto et aux Campi. Dans ce "sanctuaire de l'art simple" (Longhi) qu'était la Lombardie, par rapport à la magnificence de l'art florentin, romain et vénitien, la peinture reflétait le changement des conditions économiques, politiques et surtout spirituelles dû à la réforme catholique. Charles Borromée (plus tard canonisé) défendait vigoureusement les idées de l'église réformée dans ses prescriptions de 1577 qui furent divulguées par le traité du père Comanini en 1591: il exhortait à la simplicité évangélique, au retour à la pureté du sacré et de la vérité contre les afféteries et les abus de décorations du Maniérisme de la dernière période, abstrait et alambiqué.

Le successeur de saint Charles Borromée, Frédéric, poussait la politique artistique dans le même sens avec peut-être plus de ténacité encore; un sens, il faut le dire, qui s'accordait tout à fait avec la nature de l'art lombard et dont Foppa et Bergognone étaient des représentants de grand talent.

Le Caravage arrive donc à Rome, plein de cette tension réformiste qui dans un certain sens détermine les sujets et les formes: scènes humbles, de la vie de tous les jours, amour des choses concrètes et utiles à l'homme, simplification et purification de la représentation évangélique. L'artiste "athée" est en réalité un divulgateur de la nouvelle volonté de paupérisme du clergé réformé, un partisan convaincu de la valeur de l'homme et de la vie défendue par l'Evangile. Il sait aussi traduire en images les textes sa-

1604	Il termine *La mise au tombeau* pour Santa Maria della Vallicella (aujourd'hui à la Pinacothèque Vaticane)	Jacques Iᵉʳ d'Angleterre nie la liberté de culte aux puritains Rapprochement entre l'Angleterre et l'Espagne avec la paix de Londres	G. Reni: *Crucifixion* pour Saint-Pierre de Rome A. Carrache: *La Fuite en Egypte*
1605	Il est arrêté pour injures et port d'armes non autorisé. Il blesse le notaire Pasqualone et se réfugie à Gênes.	Echec du "complot des poudres" contre Jacques Iᵉʳ à Londres Après le bref pontificat de Léon XI, Paul V est élu pape Mort du tsar Boris Godounov	Publication de la première partie de *Don Quichotte* à Madrid F. Porzio commence la construction de la Chapelle Pauline au Vatican Construction de la Place Royale (Place des Vosges) à Paris
1606	*La mort de la Vierge* n'est pas acceptée par son commanditaire. Au cours d'une dispute de jeu, il tue son adversaire et fuit Rome. A la fin de l'année, il est à Naples.	Paul V excommunie le doge et le Sénat de Venise à la suite de l'arrestation de deux prêtres pour des délits de droit commun Les boyards russes tuent le "faux Dimitri" et élisent tsar Basile Soujski	Shakespeare: *Le roi Lear* et *Antoine et Cléôpatre* P.P. Rubens: *Portrait de Brigitte Spinola* Naissance de P. Corneille
1607	A Naples, il exécute *La Madone du Rosaire* et *Judith et Holopherne*	L'arbitrage d'Henri IV de France met fin au conflit entre Venise et la papauté Banqueroute des banques gênoises titulaires de crédits envers la couronne d'Espagne Premier établissement anglais en Amérique à Jamestown	Représentation du mélodrame de C. Monteverdi, *Orphée*, à Mantoue Publication posthume des *Sept Journées de la Création* du Tasse
1608	Séjour à Malte où il est nommé Chevalier de l'Ordre de Malte. Il peint *La décollation de saint Jean-Baptiste*. A la suite d'une rixe, il fuit en Sicile	Paul V concède le permis d'évangéliser le Japon aux Franciscains et aux Dominicains Fondation de Quebec Union évangélique des princes protestants allemands contre la majorité catholique de la Diète de Ratisbonne	Dominiquin: *Flagellation de saint André* pour l'Oratoire de Sant'Andrea al Celio à Rome G. Frescobaldi organiste de Saint-Pierre de Rome
1609	A Messine, il peint la *Résurrection de Lazare* et *L'adoration des bergers*. Puis il est à Palerme où il peint la *Nativité avec saint Laurent et saint François*. Retour à Naples où il est gravement blessé	Fondation de la Ligue Catholique par Maximilien Iᵉʳ de Bavière qui s'appuie sur l'Espagne Les Jésuites fondent la première mission en Argentine Rudolph II concède la liberté de culte en Bohême	Kepler: *Astronomia Nova* (les lois de planètes) Rubens devient peintre de cour à Anvers Lope de Vega: *Le Nouvel art de faire des comédies*
1610	Le 18 juillet, en regagnant Rome où ses protecteurs avaient réussi à obtenir sa grâce, il meurt de malaria, seul et abandonné, sur la plage de Porto Ercole, près de Grosseto	Assassinat d'Henri IV de France. Louis XIII a neuf ans: régence de Marie de Médicis Prédominance polonaise en Russie Alliance entre Charles Emmanuel Iᵉʳ de Savoie et la France pour attaquer l'Espagne et la Lombardie Kepler: la lunette astronomique	Le Greco: *Portrait de Cardinal Tavera* Galilée publie *Sidereus nuncius*

crés qui sont en quelque sorte la partition musicale de certaines de ses œuvres de jeunesse, de celles "en clair" en particulier représentant de jeunes garçons, des musiciens, des fruits. L'étude extrêmement précise et profonde de Maurizio Calvesi nous permet de lire la peinture du Caravage de cette façon nouvelle: l'une des sources de ses tableaux de jeunesse, dit-il, est le *Cantique des Cantiques* (c'est pourquoi il parle de partition musicale en examinant le *Repos pendant la fuite en Egypte*), le texte biblique dans lequel on retrouve tout le répertoire botanique utilisé par le Caravage: les poires, les pommes, les figues, les grenades, le raisin et les feuilles, un répertoire qui deviendra le protagoniste splendide et unique de la *Corbeille de fruits* de la Pinacothèque Ambrosienne, achetée en 1607 par Frédéric Borromée pour sa collection de tableaux. Des fleurs et des fruits qui respirent la réalité et le naturel, mais aussi le symbole et le sens: "La corbeille contient du raisin et des grenades, symboles habituels du martyre du Christ, et des pommes, faisant allusion à la fois aux "fruits" de la Grâce et au péché originel dont le Christ a sauvé l'humanité" (Calvesi).

Lorsque le Caravage abandonne la peinture "en clair" pour "ragaillardir les obscurs", il abandonne les sujets "profanes" pour ne peindre que des scènes sacrées. C'est alors que commencent les critiques, les refus, les incompréhensions de la part du clergé officiel; c'est alors qu'on l'accuse de ne pas respecter les règles du "décorum". Mais la qualité extraordinaire de sa lumière, de sa mise en scène du drame, de l'événement, grâce à son clair-obscur, ne sera jamais contestée. Ce qu'on lui conteste, c'est sa façon de représenter les images sacrées: des Madones pauvrement vêtues, sur le seuil de maisons misérables, des pèlerins aux pieds sales, un saint Matthieu en paysan fruste et analphabète, une Vierge trop humaine au ventre gonflé sur son lit de mort...

LA PEINTURE COMME TEMOIGNAGE DE LA FOI

C'est de là que naît cette grande équivoque, qui dure depuis lors, d'un Caravage méprisant la religion, ou, pour la critique moderne, d'un Caravage défenseur des pauvres contre les puissants...

En réalité, la version sobre et réaliste des scènes sacrées correspond chez le Caravage à une adhésion convaincue au paupérisme et à la spiritualité prônés par saint Charles Borromée, et pratiqués à Rome par les ordres mendiants, en particulier par les oratoriens de saint Philippe Néri. Des idées qui chez un génie comme le Caravage s'épurent, se simplifient et se réalisent par la force de l'image, de l' "idée" au sens originaire du terme (c'est à dire de "forme visible"). La lumière qui perce les ténèbres, l'ombre qui absorbe les corps et les objets sont la lumière et l'ombre de la réalité, de la nature, bien sûr, mais aussi la lumière de la grâce et l'ombre du péché, la splendeur de l'esprit et la noirceur de la chair...Quelque chose de trop radical, de trop difficile à faire valoir pour l'Eglise de Rome, laquelle se consacre déjà à une politique d'exaltation et d'auto-promotion qui débouchera dans ses glorieuses machineries baroques. Une église qui a désormais oublié les prescriptions du Catéchisme du cardinal Robert Bellarmin qui conseillait en 1597 de donner un visage simple et populaire - compréhensible pour les illettrés - aux images tirées des textes classiques.

Pour le Caravage, la peinture devient témoignage, affirmation de sa foi en Dieu et dans l'homme qu'il a créé, violent, fragile et précaire, mais protagoniste irremplaçable du drame de l'histoire sur notre terre.

Et la lumière, la lumière réelle et irréelle à la fois, sort cette créature de son insignifiance pour la mettre au centre de la révélation, comme Matthieu éclairé par le rayon émanant du Christ dans la *Vocation* et le Lazare spectral et électrique de la *Résurrection de Lazare*, mais aussi comme le bourreau sculptural et indifférent du *Martyre de saint Matthieu*. Une lumière "qui touche et suscite, exalte ou absorbe les hommes et les choses, les formes et les couleurs..." (Angela Ottino della Chiesa) et qui inspira peut-être à Manzoni l'image de ce "Dieu qui atterre et suscite, qui inquiète et qui console" décrit dans une ode en mémoire de Napoléon...

Pourtant à cette époque, le Caravage ne fut pas compris; et il le fut encore moins par la critique de notre siècle puisqu'en 1951, face à une œuvre extrêmement religieuse telle que les *Sept œuvres de Miséricorde* de Naples, un critique renommé comme Bernard Berenson pouvait écrire: "Que dire d'une composition où l'on nous présente seulement les pieds d'un cadavre..., une jeune hystérique qui offre le sein à un vieillard, quelques figures giorgionesques occupées à des activités indéchiffrables, et un homme - un médecin, il faut supposer - qui regarde à contrejour le contenu d'un verre?". Le cadavre dont on voit les pieds va "ensevelir les morts", la jeune hystérique représente Péro, figure mythique, qui nourrit son père Cimon en train de languir en prison ("donner à manger aux affamés", "visiter les prisonniers"), les indéchiffrables activités des jeunes gens consistent à "vêtir les nus" et "soigner les malades" (Saint Martin offre son manteau et soigne le boiteux); quant au médecin, il s'agit de Samson dans le désert, en train de boire l'eau tombée du ciel dans une machoire d'âne ("donner à boire aux assoiffés").

L'art de Michelangelo Merisi ne fut donc pas compris, bien qu'il ait inspiré une grande partie de la tradition picturale de Naples et des Pays-Bas, et qu'il ait eu pour héritiers des artistes tels que Rembrandt, Vermeer, Frans Hals, La Tour ou Le Nain; en 1630, le caravagisme était complètement hors de mode et il allait le rester dans les œuvres et la critique presque jusqu'à nos jours...